나는 내가 자랑스러워요

브리지뜨 라베는 작가입니다. 미셸 퓌엑은 소르본 대학에서 철학을 가르치고 있어요. 자크 아잠
은 일러스트레이터로 〈철학 맛보기〉 시리즈의 모든 그림을 그렸으며, 만화도 그리고 있습니다.
이 책을 우리말로 옮긴 전혜영 선생님은 이화여자대학교 불어불문학과를 졸업하고, 프랑스 2
대학 헨느에서 불문학 석사와 박사 과정을 수료했으며, 도서 전문 번역가로 활동 중입니다.

철학 맛보기 22 나는 내가 자랑스러워요 — 자부심과 부끄러움

지은이 · 브리지뜨 라베, 미셸 퓌엑 | **그린이** · 자크 아잠 | **옮긴이** · 전혜영
첫 번째 찍은 날 · 2014년 1월 15일
편집 · 김수현, 문용우 | **디자인** · 박미정 | **마케팅** · 임호 | **제작** · 이명혜
펴낸이 · 김수기 | **펴낸곳** · 도서출판 소금창고 | **등록번호** · 2013-000302호
주소 · 서울시 마포구 포은로 56, 2층(합정동) | **전화** · 02-393-1174 | **팩스** · 02-393-1128
전자우편 · hyunsilbook@daum.net
ISBN · 978-89-89486-82-4 64860
ISBN · 978-89-89486-80-0 64860(세트)

LA FIERTÉ ET LA HONTE
Written by B. Labbé, M. Puech and J. Azam
Illustrated by Jacques Azam
Copyright ⓒ 2002 Éditions Milan – 300, rue Léon Joulin, 31101 Toulouse Cedex 9 France
www.editionsmilan.com
Korean translation copyright © Sogumchango, 2014
This Korean edition was published by arrangement with Éditions Milan through Sibylle
Books Literary Agency, Seoul

| 브리지뜨 라베 · 미셸 퓌엑 지음 | 자크 아잠 그림 | 전혜영 옮김 |

나는 내가 자랑스러워요

소금창고

● 철학 맛보기의 메뉴 ●

야! 토마토다! 통통 감자다!

선생님이 로만이 제출한 숙제를 반 아이들에게 보여 주셨습니다. 선생님은 로만이 글을 너무 성의 없이 써서 2점을 깎았다고 말씀하셨어요. 반 아이들의 눈에도 커다란 잉크 자국과 대충 그은 밑줄들이 보였지요. 로만은 부끄러워서 얼굴이 새빨개졌어요. 몸에서는 후끈후끈 열도 났고요.

옆자리에 앉은 짝꿍이 로만의 얼굴이 빨개진 것을 보고 노래를 흥얼거리기 시작했어요.

"야! 토마토다! 통통 감자다!"

그러자 반 아이들이 모두 함께 그 노래를 따라 불렀답니다.

"야! 토마토다! 통통 감자다!"

그만 로만의 눈에 눈물이 글썽거렸어요.

우리는 부끄러움을 느끼면 얼굴이 빨개집니다. 몸이 뜨거워지는 사람도 있고 다리가 후들후들 떨리는 사람도 있지요. 또 어떤 사람은 땀을 많이 흘리고, 울기도 해요. 심장이 미친 듯이 쿵쾅쿵쾅 뛰기도 합니다. 더러는 이런 변화가 한꺼번에 일어나는 사람도 있지요.

강단에서 시릴의 이름이 불렸습니다. 시릴은 믿을 수가 없다는 듯 멍하니 앉아 있었어요.

"시릴, 시릴, 일어나! 네 이름이잖아!"

친구가 옆에서 팔꿈치로 시릴을 밀며 말했습니다. 시릴은 그제야 일어나 앞으로 걸어 나갔어요. 마치 몽유병에 걸린 사람 같았습니다.

펜싱 경기에서 금메달을 딴 시릴은 시상대 맨 위에 올

라섰어요. 다리가 후들후들 떨리고 아무 소리도 귀에 들어오지 않았답니다. 심장 뛰는 소리만 유난히 크게 들렸지요.

우리는 자부심을 느낄 때에도 얼굴이 빨개지고 몸도 뜨거워집니다. 어떤 사람은 몸을 떨며 울기까지 해요. 또 크게 웃으면서 펄쩍펄쩍 뛰고 소리를 지르는 사람도 있고요. 가끔은 이런 변화가 한꺼번에 일어나는 사람도 있어요. 부끄러움과 자부심은 우리에게 큰 변화를 주는 강렬한 감정이라고 할 수 있습니다.

가장 부끄러웠던 경험

그레구아르의 엄마는 모처럼 일찍 퇴근을 했습니다. 그래서 아들이 다니는 학교에 찾아가 깜짝 놀래 주기로 했지요. 학교 정문에 도착한 엄마는 아이들과 함께 있는 아들을 보았어요. 엄마는 아들이 볼 수 있도록 스카프를 흔들며 소리쳤습니다.

"귀염둥이 그레구아르야! 우리 아가, 여기야!"

그레구아르는 친구들에게 인사도 하지 않고 후닥닥 엄마에게 뛰어갔어요.

"오늘 일 안 가셨어요?"

"갔지. 우리 아들 보려고 일찍 나왔단다."

엄마는 아들의 머리카락이 헝클어질 정도로 쓰다듬으며 말했습니다.

그레구아르는 얼른 친구들 쪽을 돌아보았어요. 친구들은 여자애들과 함께 뒤에서 그레구아르의 모습을 쳐

다보고 있었지요.

"왜 그러니? 나의 사랑스러운 곰돌이, 오늘 기분 안 좋은 일 있었니?"

엄마가 아들의 옷매무새를 고쳐 주며 물었습니다.

"아니에요. 어서 집에 가요."

그레구아르가 서둘러 대답했습니다.

집으로 가는 길에 엄마는 속으로 생각했어요. 그동안 학교에 데리러 오지 않는다고 불평하던 아들이 왜 화를 내는지 도무지 이해가 가지 않았답니다.

그레구아르는 어머니가 데리러 오셔서 화가 난 게 아니에요. 친구들이 자신을 놀려 댈 걸 알기 때문에 부끄러워서 그런 거지요. 내일

우리 아가, 사랑스러운 곰돌이!

학교에 가면 난리가 날 거예요. 친구들이 그레구아르를 귀염둥이, 우리 아가, 나의 사랑스러운 곰돌이라고 부를 테니까요. 또 여학생들은 그레구아르의 머리카락을 아무렇지도 않게 쓰다듬으며 다정한 목소리로 오늘 기분이 안 좋은지 물을 게 뻔하고요. 소문난 싸움대장인 그레구아르가 이제 전교생 앞에서 곰돌이로 불리게 생겼습니다. 정말 창피할 일이지요.

집에 돌아온 그레구아르는 전화 한 통을 받았습니다.
"여보세요! 귀염둥이 아가 좀 바꿔 주세요."
그레구아르는 카림의 목소리란 것을 알아채고 얼른 끊어 버리면서 생각했어요.
"드디어 악몽이 시작되었군…."

다른 사람들이 우리가 바라지 않는 모습으로 우리를 볼 때, 우리는 부끄러움을 느낍니다.

유치원 때가 좋았어

마리와 이네스는 유치원에서 같은 반이 되었어요.

"너희 아빠는 무슨 일 하시니?"

마리가 이네스에게 물었어요.

"기술자이셔. 너희 아빠는?"

이네스가 자랑스럽게 말하며 마리에게 물었어요.

"트럭 운전사."

마리도 아빠를 자랑스러워 하며 대답했습니다.

이네스는 길을 만들고 다리를 놓는 일을 하시는 아빠가 자랑스러웠어요. 아빠는 이네스에게 가끔 복잡한 설계도를 보여 주시기도 했지요. 거기에는 이네스가 이해할 수 없는 기호들이 가득했지요. 아빠는 루아르 강 위로 큰 다리를 놓을 거라고 얘기하셨어요.

마리도 유럽 곳곳을 다니는 아빠가 무척 자랑스럽습

니다. 아빠가 새로운 도시에 갈 때면 멋진 엽서를 마리에게 보내 주시곤 했어요. 아빠는 마리를 트럭에 태우고 고속도로를 달린 적도 있습니다. 거대한 차에 올라탄 마리는 무척 신이 났지요. 차 안에서 다른 차들을 내려다볼 수 있었거든요.

8년이 지나 마리는 중학생이 되었습니다. 어느 날, 같은 반 친구 막스가 마리에게 물었어요.

"우리 아빠는 회사 사장인데, 너의 아버지는 뭐 하시니?"

마리는 머뭇머뭇하더니 얼른 말을 돌렸어요.

"어… 요즘 새 일자리를 알아보는 중이셔. 야, 서둘러. 이러다간 역사 수업에 늦겠다."

우리 아빠가 세상에서 최고!!

마리는 막스에게 선뜻 아빠의 직업을 말할 수 없었어요. 막스가 운전사의 딸과 친구인 걸 부끄러워할까 봐 겁이 났거든요. 유치원 때에는 사람들이 직업으로 그 사람이 어떤지 평가한다는 걸 몰랐답니다. 또 돈을 얼마나 버는지, 어디 사는지, 집은 얼마나 큰지를 물어보며 상대를 평가하는 줄도 몰랐지요.

이런 생각 때문에 사람들은 부끄러움을 느끼기도 하고 자부심을 느끼기도 해요. 남보다 적게 벌면 인생이 실패한 사람이고, 더 많이 벌면 성공한 사람이라고 생각하기 때문이죠. 또 크기가 작은 집에 살면 남보다 더 뒤처지는 거라 생각하고요.

그런데 집이 너무 크면 허풍쟁이라는 소리를 들을 수도 있어요. 흔히 궂은일을 하거나 낮은 자리에 있으면 부족한 사람으로 여기지요. 또 관리자나 지위가 높은 경우에는 똑똑한 사람 아니면 잘난 척하는 사람으로 평가해요. 사람은 누구나 좋은 점수, 나쁜 점수로 평가를 받아요. 어떤 대단한 지도자가 그런 점수를 매기는 것인지 모르겠어요. 다른 사람의 시선을 받으며 자부심을 느끼기도 하고, 정반대로 부끄러움을 느끼기도 합니다. 남들이 어떻게 보든 신경 쓰지 않고 살기란 참 어려워요.

자부심을 느끼세요!

- "아니, 넌 스스로가 대견스럽지 않니?
- 이 시험에 통과하다니 정말 대단한걸!"
- "자랑스럽지 않다니 이해가 안 되는구나.
- 사람들 앞에 서서 당당하게 자랑해! 넌 훌륭해!"

전혀 자랑스럽지가 않은데, 어떻게 자부심을 느낄 수 있을까요?

창피한 줄 아세요!

"당신처럼 뚱뚱한 사람이 수영복을
입다니 창피한 줄 아세요!"
"수학 숙제 점수가 빵점이라니
창피한 줄 알아요!"

전혀 부끄럽지도 않은데, 어떻게
부끄러움을 느낄 수 있을까요?

자부심과 부끄러움을 느끼는 것은 생각대로 되는 게
아니에요. 그런 감정을 느낄 수도 있고 아닐 수도 있거
든요. 하지만 어리석은 부끄러움과 어리석은 자부심이
란 것도 있습니다. 사람들은 흔히 우리에게 억지로 그런
감정을 갖게 만들지요. 말하자면 사람들이 그렇게 생각
하기 때문에 별수 없이 부끄러움을 느끼고 자부심을 느
끼게 된답니다. 그렇지 않다면 서로가 서로를 죽이는 전

쟁에서 이겼다고 어떻게 자랑스러워 할 수 있을까요? 심지어 여자로 태어난 것을 부끄럽게 여기는 나라도 있는데, 그것도 어리석은 부끄러움이지요.

또 우리는 거짓된 부끄러움과 잘못된 자부심을 느끼기도 해요. 마치 그 감정이 진실인 것처럼 생각하면서요. 이것 또한 우리의 의도와는 달리 억지로 느끼는 감정이지요. 우리에게 어떤 감정을 느끼라고 강요하는 사람들은 우리를 마음대로 조종하고 싶어 해요.

할 수 있겠니?

펠릭스는 라울과 친구가 되고 싶었어요. 그런데 라울은 다른 친구들은 집에 데려가면서 펠릭스만 쏙 빼놓곤 했지요.

펠릭스는 그때마다 몹시 서운했어요.

'어떻게 하면 라울과 친해질 수 있을까?'

펠릭스는 곰곰이 생각했어요.

'선물을 사 줄까? 하지만 난 용돈이 별로 없는걸.'

펠릭스가 속으로 중얼거렸습니다.

'아니면 숙제를 도와줄까? 하지만 라울은 똑똑해서 내 도움이 필요 없을 거야. 게임기를 빌려 줄까? 아냐, 그 애는 이미 다 있는걸.'

펠릭스는 머리를 쥐어짜며 고민했어요.

'그렇지! 라울은 분명 내가 겁쟁이라고 생각하고 있을 거야. 이번 참에 내가 겁쟁이가 아니라는 걸 보여 줘야

겠어. 아마 깜짝 놀라 나를 다시 보게 될걸.'

결국, 펠릭스는 말썽을 피우는 개구쟁이가 되기로 했습니다. 둥글게 뭉친 종이를 선생님의 등에 던지기도 하고, 쉴 새 없이 떠들어 대고, 선생님이 앞으로 나오라고 해도 버티고 앉아 있었답니다. 심지어 욕까지 입에 담았고요.

펠릭스는 쉬는 시간마다 선생님께 벌을 받았지요.

이 모든 행동이 라울의 관심을 받기 위한 것이었죠.

펠릭스는 선생님께 혼이 날 때마다 라울을 흘끔거렸어요.

라울이 어떤 표정을 하고 있을지 궁금했거든요.

라울도 그걸 잘 알고 있었지요.

어느 날, 운동장에서 라울이 펠릭스를 불렀습니다.

펠릭스는 드디어 자신의 계획이 성공했다고 생각했어요.

"너, 선생님 의자에 겨자 소스를 바를 수 있어?"

라울이 펠릭스에게 물었습니다.

펠릭스는 라울이 자신을 자랑스럽게 여기길 바랐어요. 펠릭스의 속마음을 읽은 라울은 펠릭스를 자기 마음대로 조종하고 싶었지요.

그래서 펠릭스에게 도전 과제를 준 것입니다. 지금은 선생님 의자에 겨자 소스를 바르는 정도이지만, 그 다음에는 더 심각한 요구를 할 수도 있겠죠. 물론 펠릭스는 라울의 요구를 기꺼이 들어줄 거예요. 그렇게 되면 라울은 펠릭스를 자기 뜻대로 할 수 있는 만만한 상대로 여기겠죠.

다른 사람들이 나를 자랑스럽게 여기는 것은 당연히 기분 좋은 일이에요. 반대로 누군가 나를 부끄럽게 여긴

다면 그것도 당연히 기분 나쁜 일이겠죠. 하지만 펠릭스
처럼 다른 사람의 인정을 받기 위해 수단과 방법을 가리
지 않는 사람은 결국 자신을 조종하는 사람들에게 이용
만 당하게 된답니다.

겁쟁이구나!

수업이 끝난 후, 로망이 엠마에게 물었어요.

"전학생 말이야. 너 누군지 봤니?"

"응, 이름이 빅토르래."

엠마가 대답했어요.

"그 애 너무 겁쟁이 같지 않아?"

"어째서?"

엠마가 깜짝 놀라 물었습니다.

"아까 운동장에서 못 봤어?"

로망은 얀이 빅토르를 벽 쪽으로 밀며 못되게 구는데
도 빅토르는 그저 가만히 있더라고 얘기해 주었어요.

"아무래도 얀이 덩치가 좀 크잖아."

"그래도 그렇지. 내가 만약 빅토르였다면 아이들 앞에
서 정말 창피했을 거야. 자기를 지키지 못하는 건 창피
한 일이지."

그날 오후, 집에 돌아온 빅토르는 전학 오기 전에 다녔던 학교 친구에게 전화를 걸었어요.

"글쎄, 학교에서 대장 노릇을 하는 녀석이 있지 뭐야! 이름이 얀인데, 오늘 아침엔 나한테 욕을 했어. 그리고 날 벽 쪽으로 밀치기까지 했다니까."

"그래서 손 좀 봐줬어?"

빅토르가 전국 소년부 권투 대회에서 우승을 했다는 것을 잘 아는 그 친구가 물었어요.

"아니. 한 방 먹여 주고 싶을 정도로 화가 났지만 꾹 참았어! 어쨌든 참은 게 잘한 것 같아. 내가 봐도 대견해."

"하지만 다른 아이들도 다 봤다면서? 이제 넌 학교에서 겁쟁이로 찍히게 될걸?"

빅토르와 통화한 친구의 말이 맞았습니다. 운동장 사건은 순식간에 소문이 되어 퍼졌고, 아이들은 빅토르를 겁쟁이라고 놀려 댔어요. 얀이 못되게 구는데도 빅토르가 가만히 있었던 것이 부끄러운 행동이라고 생각했답니다. 만약 얀을 혼내 주었다면 빅토르는 당장 학교에서 유명한 스타가 되었겠죠. 아마 전교생이 그를 자랑스럽게 여겼을 거예요.

하지만 빅토르는 다른 사람들이 자신을 어떻게 생각하는지 신경 쓰지 않았어요. 사실 그렇게 마음먹는 데에는 굉장한 용기가 필요했지만요. 다른 사람들이 판단하는 자부심과 부끄러움에 영향을 받지 않는 것 역시 대단한 용기가 있어야 합니다.

기가 죽은 얀

체육 선생님은 학생들에게 운동을 해서 몸을 튼튼히 해야 한다고 말씀하시죠.

많은 아이들이 방과 후에 자기가 좋아하는 운동을 합니다.

선생님은 수업시간에 각자가 좋아하는 운동을 다른 아이들 앞에서 시범으로 보여 주게 하셨지요.

지난번에는 노라가 리듬 체조를 선보였어요.

이번 주는 빅토르의 차례여서 권투 글러브를 준비해 왔답니다.

권투에 대해 조금 아시는 선생님은 빅토르에게 반 아

이들 앞에서 간단하게 대결을 해 보자고 하셨어요.

"빅토르는 지역 권투 대회에 나가 2년 연속 우승을 한 소년 권투왕이란다. 그런 친구가 우리 학교로 전학을 오다니 영광스러운 일이지!"

체육 선생님이 빅토르를 돌아보며 살짝 윙크를 하셨어요.

"시범으로 보여 주는 거니깐 살살 하렴."

그날 이후로, 얀은 더 이상 빅토르를 괴롭히지 않았답니다.

빅토르가 속으로 얼마나 뿌듯했을지 상상이 가죠? 친구를 괴롭히는 얀을 그와 똑같은 식으로 혼내 주었더라면 이런 자부심은 절대 못 느꼈을 거예요.

" 아, 아야, 아파요 ! " 경고의 신호

줄리엥이 뜨거운 주전자에 무심코 손을 댔어요.

하지만 주전자의 물이 펄펄 끓고 있더라도

"줄리엥, 주전자가 너무 뜨거워. 어서 손을 떼!"

라고 말해 줄 필요가 없습니다.

줄리엥이 바로 소리를 지르면서 손을 뗄 테니까요.

뜨거운 것을 만지면 통증을 느끼기 때문이지요.

줄리엥이 느낀 아픔은 손을 떼라는 경고의 신호와 같아요. 만약 그런 통증을 느끼지 않았다면 손에 심한 화상을 입었겠죠. 통증은 사람들에게 미리 위험을 알려 주는 신호나 마찬가지예요.

귀가 아프지 않다면 중이염에 걸린 줄도 몰라 병원에 갈 생각도 못하겠죠. 그대로 두었다가 잘못되면 귀머거리가 될 수도 있어요. 사람에게는 고통을 느낄 수 있는 감각이 있습니다. 이 감각이 우리를 위험으로부터 안전하게 보호해 준답니다.

자부심과 부끄러움도 고통과 같은 신호 역할을 한다고 볼 수 있어요. 자부심은 유쾌함, 건강, 즐거움에 대한 신호이며, 부끄러움은 불쾌함, 불편함, 거북함에 대한 신호입니다.

우리 안에는 도덕적인 감성이 있습니다. 그래서 자부심도 느끼고 부끄러움도 느끼는 거예요. 도덕적인 감성은 우리에게 좋은 일이 일어날지, 좋지 않은 일이 일어날지 미리 알려 주기도 해요. 또 만족과 불만족을 느끼게 하고 자기 자신 안에 숨겨진 새로운 면을 발견하게 해 주지요.

마리안느, 마리안느

며칠 있으면 엄마 생신이에요.

아빠가 마리안느를 불러 20유로를 주시며 말씀하셨습니다

"마리안느, 이걸로 엄마 선물을 사렴."

마리안느는 이미 엄마 선물로 골라 둔 것이 있었어요. 얼마 전 엄마와 함께 쇼핑몰에 갔다가 엄마가 진열된 팔찌를 보며 예쁘다고 말씀하신 게 기억났거든요.

마리안느는 곧장 쇼핑몰로 달려갔어요.

"저 팔찌 얼마예요?"

"20유로란다."

가게 점원이 대답했어요.

마리안느는 돈이 부족할까 봐 걱정했는데, 잘됐다고 생각했지요.

"저걸로 살게요. 포장도 해 주실 수 있나요?"

점원이 팔찌를 포장하는 동안 마리안느는 화장품 할인 코너에서 자주색 매니큐어와 거기에 잘 어울리는 립스틱을 보았습니다. 두 개를 합쳐서 15유로에 팔고 있었지요.

마리안느는 갑자기 고민이 됐어요. 자주색은 엄마가 좋아하는 색깔이 아니었거든요. 게다가 엄마한테는 안 쓰는 립스틱도 많았지요.

'팔찌 대신 저걸 사면 5유로가 남는데….'

마리안느는 결국 선물을 바꾸기로 결심했습니다.

"죄송한데요, 팔찌 말고 저기 할인 중인 매니큐어와 립스틱으로 할게요."

마리안느는 돈을 내고 포장된 선물을 가지고 밖으로 나왔어요.

오는 길에 서점에 들러 자기가

좋아하는 잡지를 샀습니다.

그러고도 1유로가 남아 빵집에도 들러 빵을 샀지요.

집에 들어가자 아빠가 선물은 잘 샀는지, 돈이 부족하지 않았는지 물어보셨어요.

마리안느는 얼른 잡지를 재킷 속에 숨겼습니다.

"괜찮아요, 아빠. 가격이 딱 맞았어요."

그날 저녁, 마리안느는 마음이 편치 않았어요.

마리안느가 엄마 선물을 살 돈으로 자기 물건을 산 사실은 아무도 모를 거예요. 그 일을 알고 있는 사람은 오직 마리안느 자신뿐일 겁니다. 그래서 마리안느만 아는 비밀이 되겠죠. 하지만 그날 저녁, 마리안느는 자기가 한 행동이 몹시 부끄러웠어요. 부끄러움은 다른 사람들 앞에서만 느낄 수 있는 감정이 아닙니다. 자기

자신에게도 얼마든지 부끄러운 생각이 들 수 있지요. 사람은 혼자 있을 때 자신에게 가장 진실해집니다. 스스로 부끄러움을 느끼면서 자신의 참된 모습을 깨닫게 되는 거죠.

파트릭의 자부심, 제롬의 부끄러움

파트릭은 오늘 오후에 지하철을 탔어요.

같은 칸에 탄 남자 두 명이 주위를 두리번거리더니 혼자 통화를 하고 있는 젊은 여자에게 다가가 말을 걸었습니다. 하지만 두 사람이 무슨 말을 건넸는지 파트릭에게는 들리지 않았어요.

여자는 고개를 돌리고 대꾸를 하지 않았지요.

그러자 두 남자는 험악한 표정을 지으며 다짜고짜 여자의 휴대전화를 낚아챘어요. 파트릭은 여자가 겁에 질려 있는 것을 보았어요. 자리에서 벌떡 일어난 파트릭은 얼른 전철 안에 있는 경보기 쪽으로 다가갔지요. 그러곤 두 남자에게 당장 휴대전화를 돌려주고 사라지라고 소리쳤습니다.

안 그러면 이 경보음을 울리겠다고 경고했지요.

파트릭도 사실은 겁이 났어요. 다행히 두 남자가 다음 역에서 내리자 비로소 마음이 진정되긴 했지만요. 파트릭은 당연히 해야 할 일을 했다고 생각했습니다.

자부심은 우리가 자기 자신에 대해 놀랄 때에도 느낍니다. 스스로에 대해 만족감을 느낄 때 진정한 자부심이 생긴답니다.

같은 시간에, 제롬도 그 지하철에 타고 있었지요. 그런데 똑같이 상황을 목격하고도 모른 척 창밖만 내다보

● 고 있었습니다.

　두 남자가 지하철에서 내렸을 때 제롬은 마음이 몹시 불편했어요. 우리가 자기 자신에 대해 실망할 때 느끼는 감정이 바로 부끄러움입니다.

　파트릭과 제롬, 마리안느는 모두 도덕적인 감성을 가지고 있으며, 상황에 따라 어떻게 행동할지를 결정합니다. 파트릭은 자부심이 있기 때문에 다른 사람의 일에 모른 척할 수가 없는 것이지요. 하지만 제롬은 자신감이 부족합니다. 어쩌면 그래서 다른 사람의 일에 무관심하게 된 것일 수도 있어요. 하지만 제롬도 달라져야겠다고 생각할지 몰라요. 마찬가지로 마리안느 역시 자신의 행동이 잘한 일인지 고민을 할 테고요.

벽장 깊숙한 곳에

루도빅은 대형마켓에서 전자 오락기를 훔쳤습니다.

오락을 할 수 있게 되어 너무 즐거웠어요.

루도빅은 부모님께 친구가 빌려 준 것이라고 거짓말

까지 했지요.

루도빅은 자신이 원하는 것을 가졌어요. 도둑질을 했지만 들키지 않아서 벌을 받지도 않았지요. 루도빅은 오락을 하는 게 그저 즐거울 뿐 마음에 걸리는 게 전혀 없었답니다.

에티엔느도 루도빅과 똑같이 대형 마켓에서 전자 오

락기를 훔쳤어요.

부모님께는 친구에게 빌린 거라고 둘러댔지요.

하지만 에티엔느는 게임을 하는 동안 마음이 계속 불

편했습니다.

　결국에 오락기를 벽장 깊숙한 곳에 집어넣고는 다시는 꺼내지 않기로 마음먹었지요.

에티엔느는 마음이 편치 않았어요. 도둑질을 하고도 들키지 않아 벌을 받지 않았지만요.

　루도빅과 에티엔느의 차이는 바로 부끄러움을 느끼느냐 느끼지 않느냐입니다. 루도빅은 전혀 부끄러움을 느끼지 않은 반면에, 에티엔느는 자신의 행동이 부끄러웠습니다.

　여러분은 어느 쪽이 낫다고 생각하나요? 루도빅? 아니면 에티엔느? 전혀 부끄러운 줄 모르는 도둑이 나은가요, 아니면 부끄러워하는 도둑이 나은가요?

얼핏 루도빅이 낫지 않을까 하는 생각을 할 수도 있어요. 나쁜 짓을 한 건 사실이지만 마음 편하게 지냈으니까요.

하지만 에티엔느가 부끄러움을 느낀 것이 얼마나 다행인지 이해하게 될 거예요. 에티엔느는 자기 자신이 부끄러워 어쩔 줄을 몰랐지요. 자신이 남의 물건을 훔쳤다는 사실을 받아들이기가 힘들었기 때문이죠. 그래서 속으로 생각했어요.

'내가 도둑이라니 그럴 수 없어. 이건 결코 내가 원하는 모습이 아니야.'

결국, 부끄러움이 에티엔느를 변화시켰습니다. 자신이 한 일을 되돌아보게 되고 의문을 갖게 되면서 문제의 원인을 찾게 된 것이죠.

나는 스스로에 대해 어떻게 생각할까?

"청소를 하라고 하면 갑자기 배가 아픈 척을 할까, 말까?"

"학교에 결석한 클레망스를 대신해 숙제를 해 줄까, 말까?"

"앙트안이 내일 쪽지 시험이 있다는 걸 깜박한 것 같은데, 말해 줄까, 아니면 망치게 내버려 둘까?"

"7층에 사는 조르제트 아주머니의 자동차 전조등에 불이 켜져 있다고 말씀드릴까, 말까?"

혼자서 해야 할 일과 하지 말아야 할 일을 구분하고 결정하는 일이 항상 쉬운 것은 아니에요. 때로는 몇 시간을 고민할 때도 있답니다. 왜 그 일을 해야 하는지, 또는 왜 하지 말아야 하는지 이유를 찾게 되지요. 또 아무리 고민을 해도 확실한 결정을 내리지 못하는 경우도 있어요.

'조르제트 아주머니의 자동차 전조등이 켜져 있다는 걸 말씀드려야 할 의무는 없어. 내 책임이 아니잖아. 하지만 내일 아침, 배터리가 닳아서 시동이 걸리지 않으면 아주머니는 분명 회사에 늦으시겠지. 하지만 난 지금 너무 피곤해. 7층까지 올라가는 건 귀찮아. 아주머니 연락처를 알았다면 말씀드렸을 거야.'

결정을 내리지 못할 때에도 우리는 어떤 기분을 느낄지 알 수 있습니다.

'어떻게 해야 할지 모르겠지만 말씀드리지 않으면 내 자신이 부끄러워질 거야. 내가 조금 피곤해지더라도 말씀드리고 나면 자부심을 느끼겠지.'

자부심과 부끄러움은 우리의 의사 결정에 도움을 주는 감정이에요.

'내가 그 일을 하면 스스로에 대해 어떻게 생각할까? 자랑스러워 할까, 아니면 부끄러워할까?'

'내가 그 일을 하지 않으면 스스로에 대해 어떻게 생각할까? 자부심을 느낄까, 아니면 부끄러움을 느낄까?'

창피를 전혀 모른다고요? 위험해요!

장 탈리에가 집에 돌아오자, 아내는 남편이 뭔가 이상하다는 생각이 들었어요.

"당신, 무슨 일 있죠?"

"빨간불인 줄 모르고 달리다가 지나가던 사람을 치었어. 심장이 다 벌벌 떨려."

"뭐라고요? 그 사람 많이 다쳤어요?"

"몰라."

"모르다니요? 그게 무슨 말이에요?"

"몰라서 물어! 그런 일로 경찰서에 갔다가는 바로 운전면허 정지야."

"지금 당신 운전면허가 문제예요? 누가 나타나서 다친 사람을 도와줬나요? 그 사람 어떻게 됐냐고요?"

"진정해. 사막도 아니고 당연히 지나가던 사람들이 도와줬겠지. 내 차 번호판을 본 사람이 아무도 없어야 할

텐데….”

"아니, 당연히 119에 연락하거나 차를 돌려 병원에 데려갔어야죠. 당신 정말 괴물이군요. 창피한 줄 알아요!"

"창피? 내가 왜? 신호를 일부러 어긴 것도 아니고, 심하게 친 것도 아닌데 뭘. 나중에 차를 확인해 봤는데 부딪친 흔적도 전혀 없었어."

장 탈리에는 부끄러움을 모르는 사람입니다. 인간이라면 누구나 갖고 있는 그 감정이 부족한 것이죠. 부끄러움을 느끼지 않기 때문에 장 탈리에는 남에게 괴물이나 어리석은 사람 취급을 당할 수밖에 없지요.

병원에 간 장

장 탈리에의 차에 치인 사람은 다행히 몸은 크게 다치지 않았어요. 하지만 정신적으로 큰 충격을 받았답니다.

경찰은 뺑소니 운전자를 찾아냈죠. 장 탈리에는 운전면허가 정지되고 벌금을 물어야 했어요. 또 병원에서 일주일 동안 교통사고로 크게 다친 환자들을 보살피는 봉사 활동도 해야 했고요.

장은 병원에서 환자들을 돌보며 무책임한 행동이 어떤 비극적인 결과를 낳는지 알게 되었어요. 장은 자신이 한 짓이 너무나도 부끄러웠답니다.

병원에서 장은 부끄러움을 느꼈습니다. 부끄러움은 또 수치심을 안

겨 주지만, 그렇다고 자신이 괴물이
라는 생각을 갖게 하려는 것은 아니
에요.

　사람이 부끄러움이 느낀다는 것은
자신의 도덕적인 감성에 눈을 뜨도록
이끌어 주는 것이지요.

　누구나 도덕적인 감성을 갖고 있어요. 하지만 그것을
억누르고 사는 사람들도 있지요. 그런 사람들은 의문을
품지도 않고, 후회나 양심의 가책을 느끼지도 않아요.
그저 마음 편히 살면 그만이라고 생각하는 거죠.

　부모님은 자녀를 키우면서 자녀가 자신만의 독특한 개
성을 갖도록 도와줍니다. 또 그림, 독서, 음악, 운동 등
여러 가지 활동을 통해 자녀가 자신이 좋아하는 취미를
가질 수 있도록 해주지요. 부모님은 무엇보다 자녀가 도
덕적 감성을 개발하도록 도와줘야 할 책임이 있습니다.
자부심을 느끼고 부끄러움을 느낄 줄 아는 사람으로 키
워야 한답니다.

다른 사람들의 도덕적 감성까지 일깨워 주려고 하는
것은 모든 인간이 도덕적으로 민감하다는 것을 굳게 믿
기 때문입니다. 세상 어느 누구도 어리석은 바보나 괴물
처럼 살기 위해 태어난 사람은 없으니까요.

만세, 만세! 만만세!

세바스티앙은 라켓을 공중으로 던지고는 관중석을 향해 승리의 세리머니를 날렸습니다. 테니스 경기에 나가 처음으로 거둔 우승이었지요. 세바스티앙은 멋진 경기를 펼쳤고, 관중들은 세바스티앙이 점수를 딸 때마다 뜨겁게 환호했어요. 모두 자리에서 일어나 발을 구르며 응원했습니다. 또 관중들이 어깨동무를 하고 파도타기까지 하는 바람에 심판도 흥분하지 않을 수가 없었답니다. 세바스티앙은 전혀 힘든 줄도 몰랐지요!

관중들은 세바스티앙에게 큰 힘을 주었어요. 우리는 누군가의 격려를 받을 때, 다른 사람들이 우리가 성공할 수 있다고 굳게 믿을 때, 그 일에 성공할 확률이 훨씬 더 높

습니다. 또 자신감도 더 커지고요. 그래서 운동을 하는
사람들은 팬이 있어야 하며, 특히 좋은 팬이 있어야 한
다고 말하지요.

잘할 땐 박수 쳐 주고, 못할 땐 따끔하게 혼내며 진정
으로 선수를 아끼는 팬이 좋은 팬이지요. 그렇지 않고
늘 칭찬만 하며 신처럼 떠받든다면 선수들의 실력은 늘
지 않습니다.

하지만 더러 선수들
에게 위험한 팬들
도 있어요. 어떤
팀을 응원하다
가 하루아침에
마음을 바꿔서
그 팀을 욕하는
팬들이죠.

또 항상 불만이 많
은 팬들도 위험하긴
마찬가지고요. 선수

들의 장점을 보지 않고 부정적으로 비판만 하기 때문입니다. 팬이란 팀을 도와주는 같은 편이어야 하는데, 오히려 팀의 적이 되어 버리고 만답니다.

우리가 정당한 이유로 자부심을 느낄 때 마치 마음속에 자신을 응원하는 팬이 있는 것처럼 느껴져요. 자기 자신이 스스로에게 기운을 북돋아 주고 힘을 주는 팬이 되는 셈이지요.

자기환상에 빠진 막스무스와
자기혐오가 심한 미누스

"내가 하는 것은 뭐든 멋져.

난 세상에서 가장 잘생겼고 똑똑해.

힘도 가장 세지. 나는 신이야." - 막시무스

막시무스는 현실을 외면한 채 자부심이 하늘을 찌르는 사람입니다. 자기 모습을 있는 그대로 보지 못하고, 마치 왕처럼 여기지요. 다른 사람은 신경도 안 쓰고, 스스로를 최고라고 믿는 자기 기만의 세계를 지배하는 왕이라고 할 수 있어요.

"내가 하는 것은 뭐든지 형편없어.

난 못생겼고 멍청하고 허약해.

난 패배자야." - 미누스

미누스는 현실 뒤에 몸을 감추고 자신을 부끄럽게 여기는 사람입니다. 자기 모습을 있는 그대로 보지 못하고, 마치 쓰레기나 그림자처럼 실체가 없는 존재로 생각하죠. 미누스는 어떻게 해서든 자신을 감추려고 애쓴답니다.

또, 다른 사람들이 자신에게 관심을 갖는 걸 두려워해요. 막시무스와 미누스는 모두 잘못된 팬을 마음속에 품고 있습니다. 자부심과 부끄러움이 지나칠 정도로 많으면 자기 자신은 물론 다른 사람들로부터 점점 멀어지게 돼요.

흥미를 잃은 루시

루시는 아주 유명한 연극배우예요.

저녁마다 대극장에서 공연을 하는 그녀를 보려고 사람들이 몰려오지요. 공연이 끝나면 관객들은 기립 박수를 보내며 여기저기에서 앙코르를 외칩니다. 그러면 루시는 다시 무대로 나와 관객들에게 인사를 해요. 루시에게는 가장 행복한 시간이랍니다. 그 순간, 루시는 자신이 무척 자랑스럽지요.

하지만 무대를 내려오면 행복한 기분은 순식간에 사라지고 말아요. 루시가 행복한 순간은 오로지 무대에 있을 때뿐입니다. 공연이 없는 날에는 특히 우울한 기분에 빠져들죠.

기운이 하나도 없어 꼼짝도 않고 자리에 누워 있곤 한답니다.

루시는 자부심을 느끼는 것에 문제가 있는 사람입니다. 다른 사람이 인정해 줄 때에만 자부심을 느끼기 때문이지요. 사람들의 박수 소리가 사라지고 무대에 불이 꺼지면, 루시의 마음에도 불이 꺼집니다. 모든 것에 흥미를 잃게 되는 거죠.

  하지만 일을 잘했을 때의 성취감, 멋진 글을 읽었을 때의 즐거움, 관객에게 주는 기쁨, 배우로서 성공했다는 행복감을 통해서도 얼마든지 스스로 자부심을 느낄 수 있습니다. 공연이 끝나고 자기 자신으로 돌아왔을 때

에도 이 자부심은 사라지지 않지요. 만약 루시가 자신에 대해 흥미를 갖고 스스로 뿌듯함을 느낀다면, 무대에서 내려온 뒤 마음이 허전해지는 일은 없을 거예요.

승리의 신호!

"나는 내가 자랑스러워요. 샤를렌에게 사랑한다고 고백했거든요."

"나는 내가 대견스러워요. 반 아이들 앞에서 멋진 목소리로 시를 암송했어요."

"나는 수영장의 가장 높은 곳에서 다이빙을 했어요. 내가 정말 자랑스러워요."

"상사에게 제 불만을 침착하게 말씀드렸어요. 그래서 참 뿌듯해요."

자부심은 승리를 의미하는 신호와 같아요. 우리가 용기를 내고 힘들게 노력해서 성공한 것에 대해 느끼는 감정이니까요. 우리에게 용기가 있다는 것을 증명하는 감정이기도 하고요. 자부심을 느끼면서 우리는 스스로를 더 사랑하게 되고, 혼자 있어도 마음이 편안해집니다.

물론, 승리의 감정을 다른 사람과 나눌 수 있어요. 자신이 느끼는 자부심을 친구 또는 부모님과 함께할 수 있답니다. 이때 다른 사람들이 당신과 함께 기뻐한다면 정말 좋겠죠.

다른 사람이 미처 보지 못하고 알지 못해도 우리는 스스로 자부심을 느끼며 큰 힘을 얻어요. 자부심을 느낄수록 기운이 계속 샘솟아요. 그렇게 우리에게 힘을 북돋워주는 감정이 바로 자부심이에요. 항상 자부심을 느끼면서 살면 우리는 모든 것에 흥미를 느낄 수 있답니다.

나만의 철학 맛보기 노트

가끔씩 친구들 두세 명 또는 여럿이서 모여 영화를 보거나 놀이를 하지요. 또 발표 숙제를 준비하거나 음악을 듣기도 하고요. 때로는 친구들과 있으면서 특별히 무언가를 하지 않을 때가 있는데, 이럴 땐 모두가 관심 있어 하는 주제에 대해 대화를 나누어 보세요.

대화를 하다 보면 부모님, 선생님, 친구, 사랑, 전쟁, 부끄러움, 불공평 등 다양한 주제로 이야기가 이어져요. 그러면서 우리는 다른 세상을 꿈꾸지요! 그러다가 밤이 되어 혼자가 되면 그 주제에 대해 다시 생각합니다.

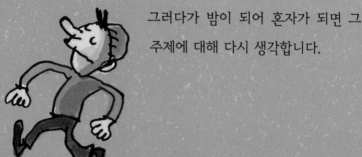

진짜 철학 맛보기

다른 사람들과 세상의 모든 것에 대해 이야기를 나눌 수 있다는 것은 정말 좋은 일이에요. 물론 자기 말만 하고 도무지 남의 이야기를 들으려고 하지 않는 사람들과 있으면 의견 차이를 좁히지 못해 화가 날 때도 있지만요.

하지만 의견이 다르면 좀 어때요! 우리가 함께 정한 주제에 대해 자유롭게 이야기하고 토론하는 것이 더 중요하지 않을까요? 자기 집이나 친구 집, 학교에서도 이야기를 나누면 어떨까요?

진짜 철학 맛보기

진짜 철학 맛보기에 성공하고
싶다면 몇 가지 주의할 것들이
있답니다.

까불다간
큰코다칩니다!

- 대화 참여자 수는 10명 이내로 하는 것이 좋아요.

- 마실 음료와 간식을 미리 준비해 두면 좋고요!

- 바닥에 앉아도 좋고, 각자 편한 자세로 자유롭게 대화를
  나누는 겁니다. 둥글게 빙 둘러앉아서 한가운데에 음식을
  놓을 수도 있습니다.

진짜 철학 맛보기

● 대화 주제를 미리 정한 것이 아니라면 누군가가 나서서 여러 가지 주제를 제안할 수 있지요.

● 각자 가장 마음에 두고 있는 주제를 내놓습니다. 자신의 선택을 미리 말해서 다른 사람에게 영향을 주지 않도록 주의해야 해요.

● 가장 인기 있는 주제를 투표로 결정합니다. 한 사람당 한 가지 주제만 선택할 수 있어요.

● 가장 많은 표를 받은 주제가 바로 오늘의 대화 주제가 되는 것입니다.

진짜 철학 맛보기

상대의 말에 귀를 기울이고, 서로 싸우지 않으면서 나와 다른 의견을 받아들여야 합니다. 그리고 모두에게 말할 수 있는 공평한 기회를 주어야 해요. 그러려면 어떻게 해야 하는지 다음 내용을 읽어 보고 실천해 봅시다!

자, 이제 시작할까요?
한 시간 정도 대화를 나눠 보세요!
뜻깊은 하루가 될 거예요!

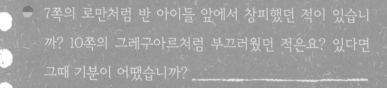

과일 주스와 과자도 있고 대화의 주제도 벌써 준비되어 있군요! 오늘의 주제는 바로 '자부심과 부끄러움'입니다. 만약 대화를 바로 시작하기 어렵다면 다음과 같이 해봅시다. 서로 멀뚱멀뚱 쳐다보기만 하고 아무도 말을 하지 않을 경우도 있을 테니까요.

● 7쪽의 로만처럼 반 아이들 앞에서 창피했던 적이 있습니까? 10쪽의 그레구아르처럼 부끄러웠던 적은요? 있다면 그때 기분이 어땠습니까? _____

_____

● 14쪽의 마리처럼 중학교에 다니면서 부모님 때문에 부끄러웠던 적이 있었나요? 그 이유는 무엇이었나요?

_____

_____

● 23쪽의 빅토르는 용기 있는 아이입니다. 왜일까요? _____

_____

_____

● 42쪽의 장 탈리에가 가진 문제는 무엇입니까?

_____

_____

● 52쪽의 루시는 무엇이 문제입니까?

_____

_____

_____

친구들과 대화할 때 이 책을 활용해 보세요. 한 친구가 먼저 본문의 일부 또는 일화 한 편을 읽습니다. 그런 다음에 이와 비슷한 경험을 한 사람이 자신의 이야기를 들려줍니다. 그러고 나서 본문의 내용이 무엇을 의미하는지 서로 이야기를 나누세요.

스스로에게 질문을 할 수도 있고 다른 사람에게 질문을 할 수도 있어요. 질문에 대한 대답을 함께 찾아보세요. 확실한 대답을 찾기 어려운 질문도 있습니다. 왜냐하면 질문 속에 또 다른 문제들이 숨어 있거든요.

진짜 철학 맛보기
자부심과 부끄러움

몇 가지 예들을 생각나는 대로 적어 보면 다음과 같아요. 다음 질문에 전부 대답 하려면 아마 몇 시간은 걸릴 거예요!

"우리는 언제 부끄러움을 느낄까요? 어떤 순간에?"

"우리는 언제 자부심을 느끼나요?"

"부끄러움은 우리에게 필요한 감정인가요?"

"창피함을 모르면 어떤 일이 벌어질까요?"

"항상 자부심을 느끼면 어떻게 될까요?"

"자신을 자랑스럽게 여기는 것이 그렇게 중요한가요?"

"우리는 무조건 부끄러움을 느끼고 자부심을 느껴야 하는 걸까요?"

이제 여러분이 대답할 차례예요!
철학 맛보기 시간!
여러분의 생각을 표현해 보세요!

내 생각은…

내 이야기는...

● 철학 맛보기 시리즈 ●

〈철학 맛보기〉 시리즈는 계속해서 출간될 예정입니다.

〈철학 맛보기〉 시리즈는 우리 주변에서 일어나는 일상의 일들을 생각
해보는 '생활 철학'입니다. 어린이의 눈높이에 맞게 생활 속의 이야기를
들려주고 아이들 스스로 논리적 사고를 할 수 있도록 도와줍니다.